熹平石經選

彩色放大本中國著名碑帖

孫寶文 編

上海辭書出版社

春秋經殘石（正面）

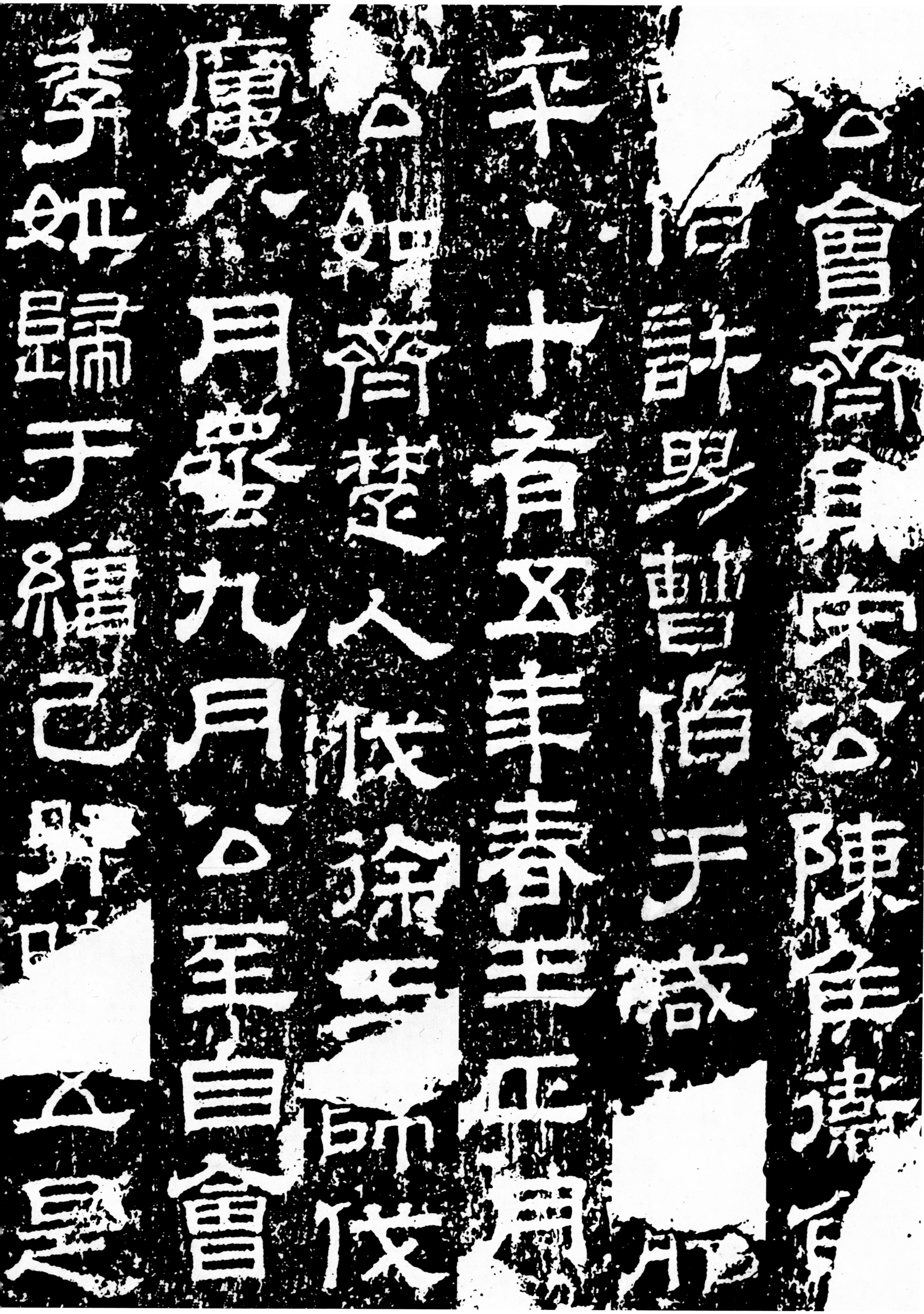

公會齊侯宋公陳侯衛侯□伯許男曹伯于咸□□卒十有五年春王正月公如齊楚人伐徐三師伐厲八月螽九月公至自會季姬歸于繒己卯晦五是

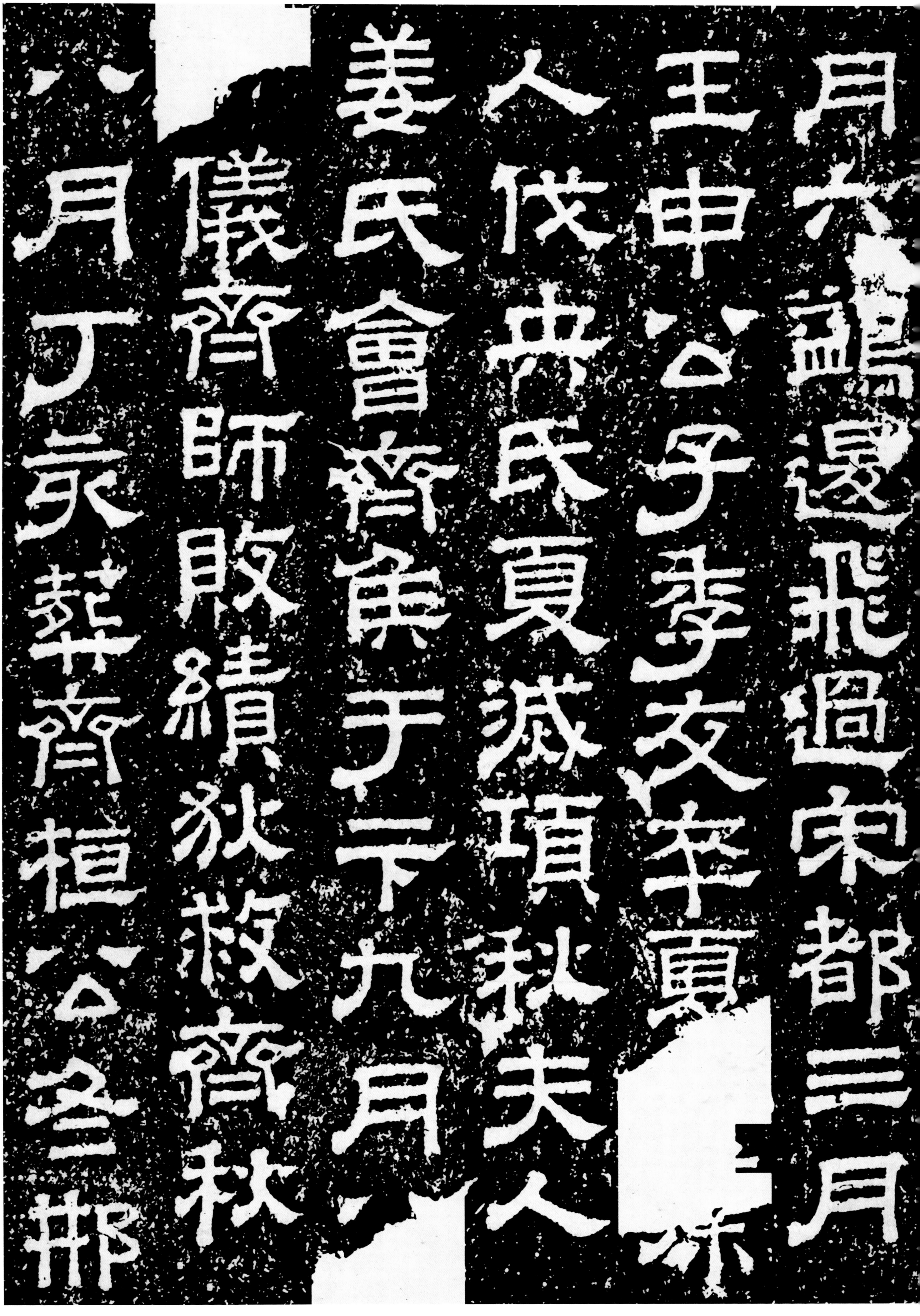

月六鷁退飛過宋都三月壬申公子季友卒夏□徐人伐央氏夏滅項秋夫人姜氏會齊侯于下九月公□儀齊師敗績狄救齊秋八月丁亥葬齊桓公冬邢

人□□秋宋人圍曹衛人伐邢冬會陳人蔡人楚人鄭人盟□□宋人齊人楚人盟于鹿上夏大旱秋宋公楚子陳侯□年春伐邾婁取須朐夏宋公衛侯許

男滕子伐鄭秋□□公慈父卒秋楚人伐陳冬十有一月杞子卒廿有□宋蕩伯姬來逆婦宋殺其大夫秋楚人圍陳納頓□追齊師至雋弗及夏齊人伐

我北鄙衛人伐齊公侯昭卒秋八月乙未葬齊孝公乙巳公子遂率師□之楚人救衛三月丙午晉侯入曹執曹伯畀宋人□衛子莒子盟于踐土陳侯如會

公朝于王所□于温天王狩于河陽壬申公朝于王所晉□□王人晉人宋人齊人陳人蔡人秦人□□□周公來聘公子遂如京師遂如晉□正月夏四月

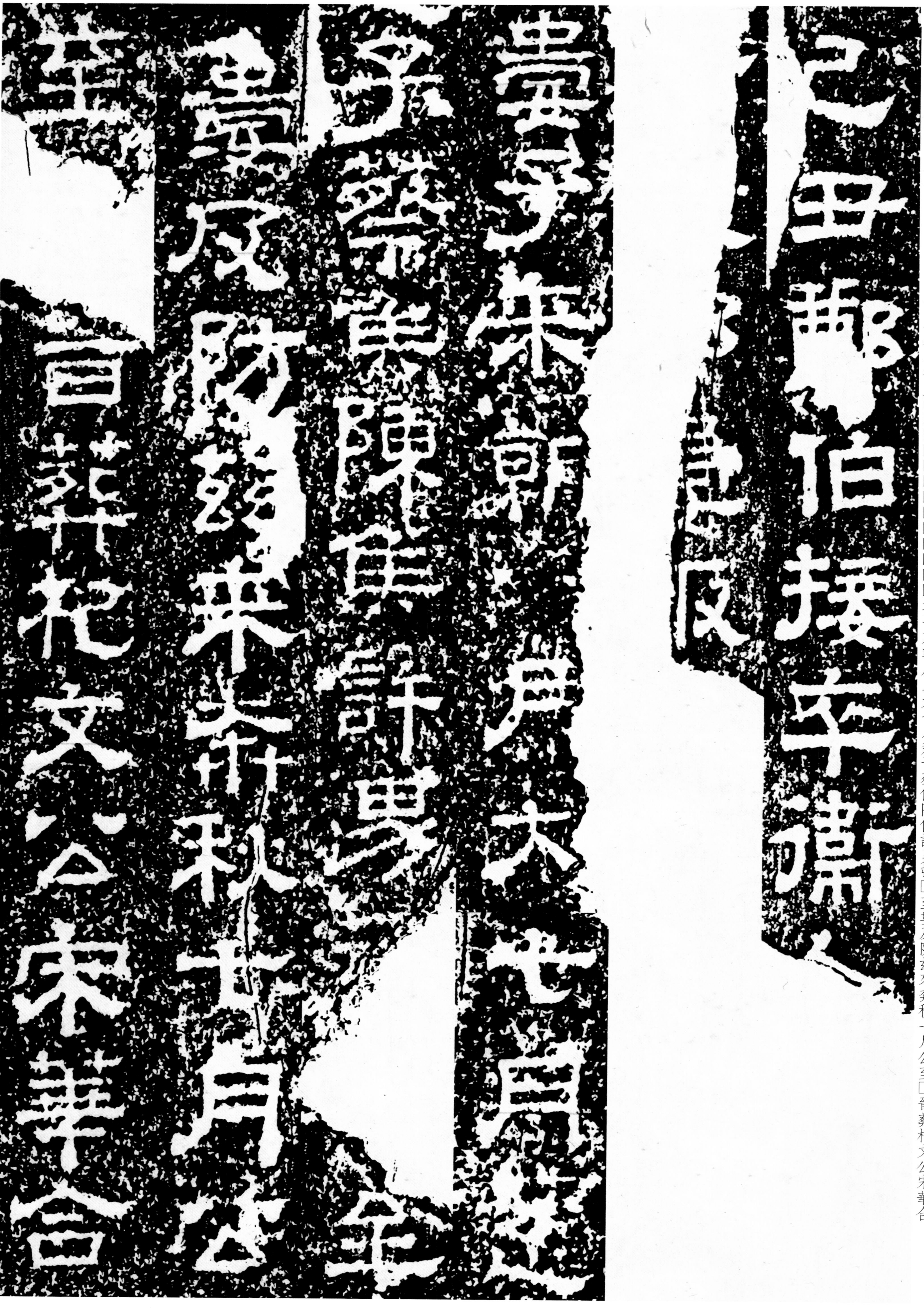

春秋經殘石（背面）

己丑鄭伯接卒衞人□□□□□□□□□□□□□婁子來朝八月大七月楚子蔡侯陳侯許男頓□至婁及防茲來奔秋七月公至□晉葬杞文公宋華合

比出奔衛秋□□辰衛侯惡卒九月公至自楚冬十殺之陳公子留出奔鄭秋狩于紅陳人□秋仲孫貜如齊冬築郎囿十年春王正年春王二月叔弓如

宋葬宋平公夏四月□韓
起齊國杓宋華亥衛北宮
它鄭軒虎曹□三月壬申
鄭伯嘉卒夏宋公使華定
來聘公□月楚公子比自
晉歸于楚殺其君虔于乾

宋葬宋平公夏四月□韓起齊國杓宋華亥衛北宮它鄭軒虎曹□三月壬申鄭伯嘉卒夏宋公使華定來聘公□月楚公子比自晉歸于楚殺其君虔于乾

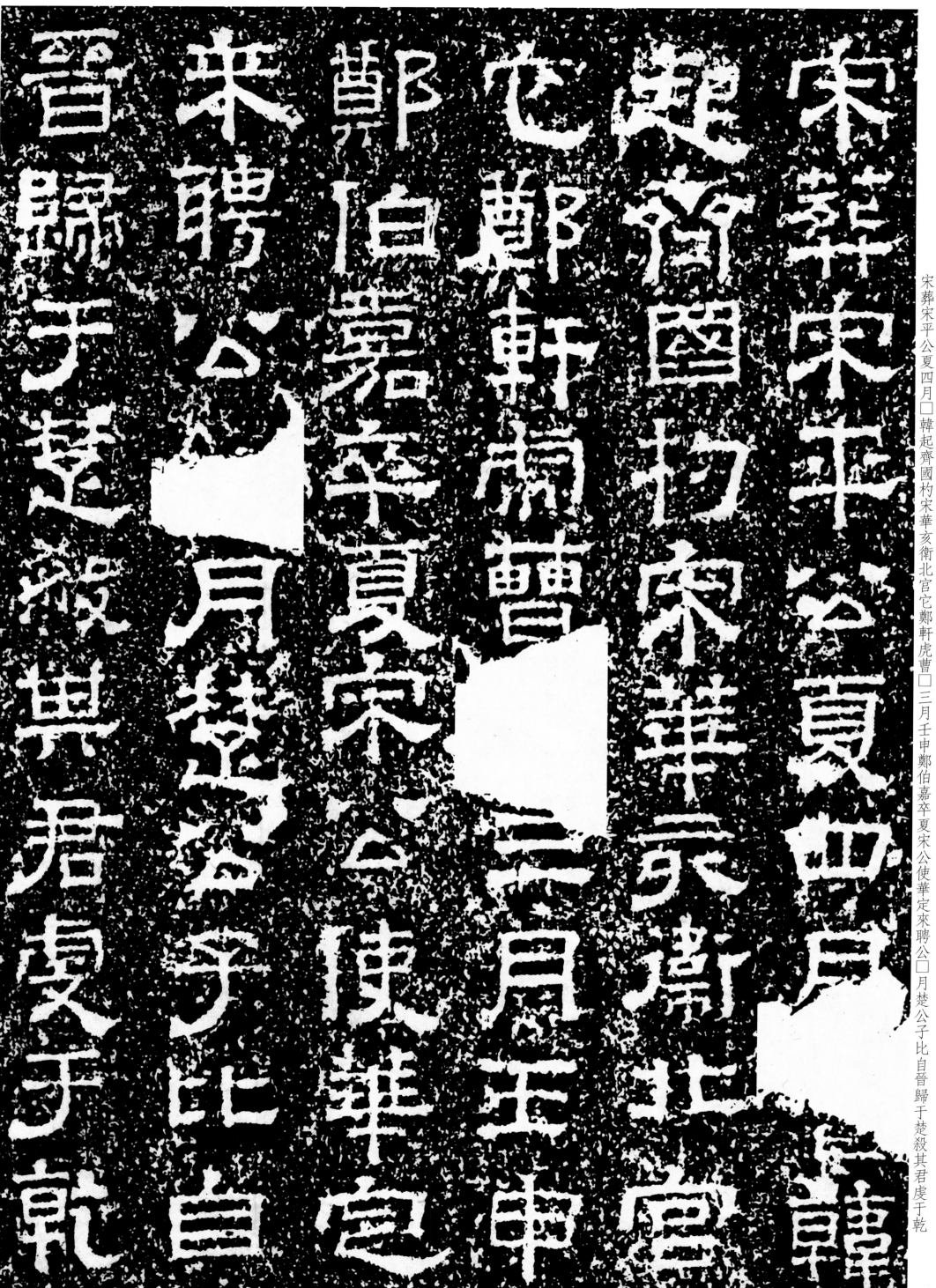

谿楚□公不與盟晉人執季孫隱如以歸公至自會蔡□曹武公八月莒子去疾卒冬莒殺其公子意恢十師伐鮮虞冬公如晉十有六年春齊侯伐徐

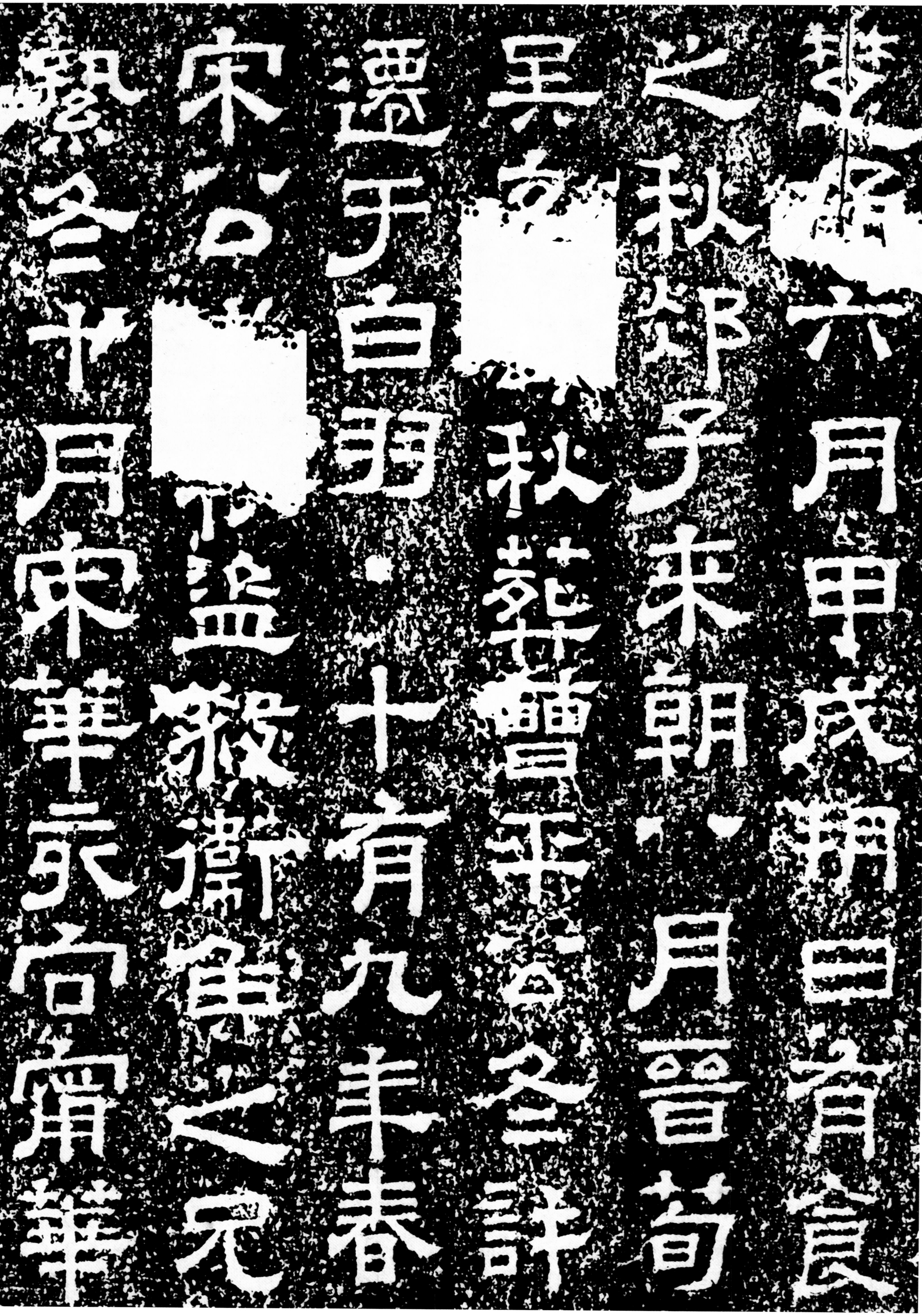

楚子六月甲戌朔日有食之秋郯子來朝八月晉荀吳率□秋葬曹平公冬許遷于白羽十有九年春宋公□□盗殺衛侯之兄縶冬十月宋華亥向甯華

定出奔□月壬午朔日有食之八月乙亥叔座卒冬蔡侯朱出

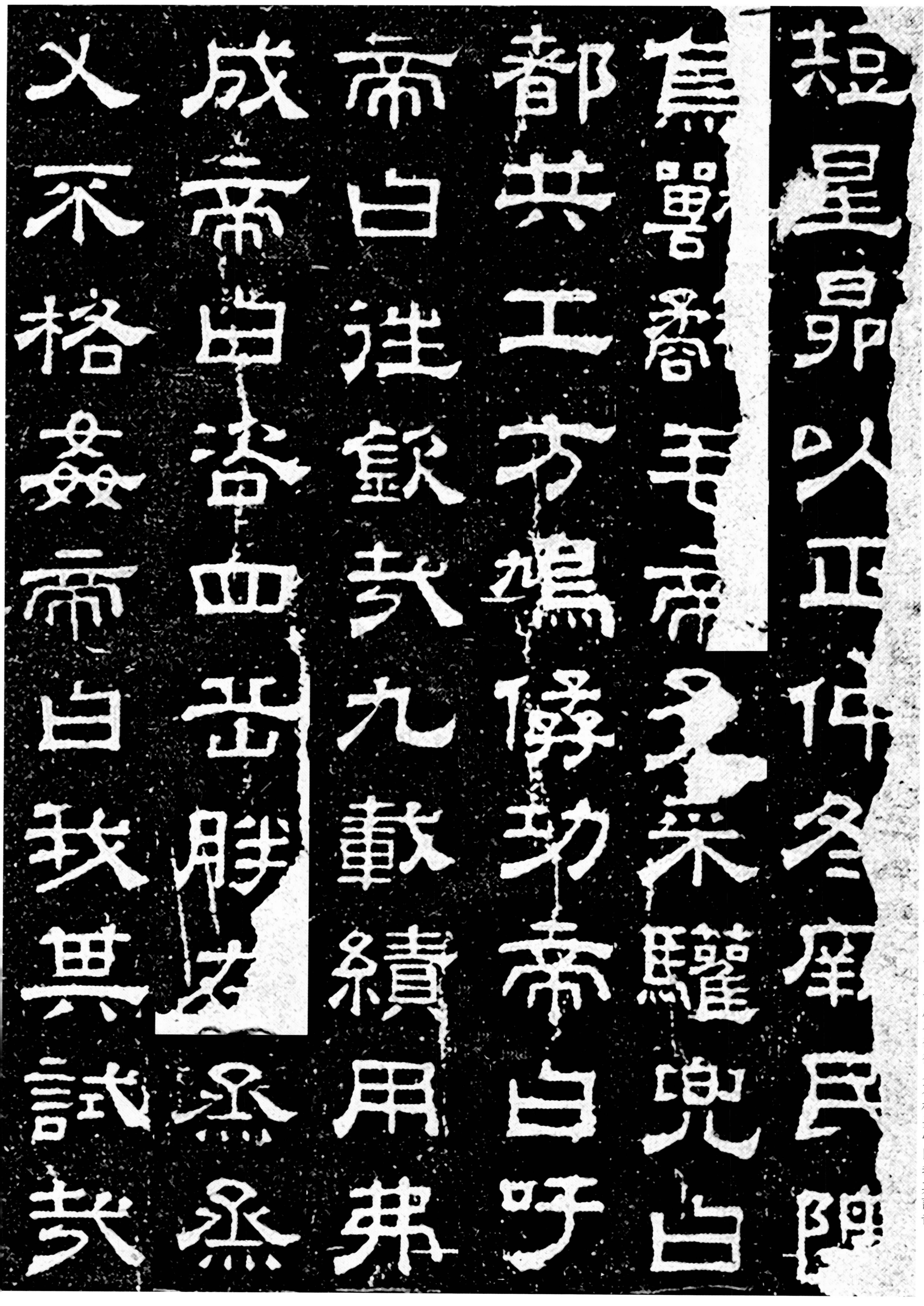

尚書殘石

短星昴以正仲冬厥民隩鳥獸□毛帝子采驩兜曰都共工方鳩僝功帝曰吁帝曰往欽哉九載績用弗成帝曰咨四岳朕在烝烝乂不格姦帝曰我其試哉

女于時觀厥刑稽古帝舜
曰重華協于帝濬哲文明
温恭允塞玄德三載汝陟
帝位舜讓于德弗嗣正月
上日受終于文柴望秩于
山川肆覲東后協時月正

女于時觀厥刑稽古帝舜曰重華協于帝濬哲文明温恭允塞玄德三載汝陟帝位舜讓于德弗嗣正月上日受終于文柴望秩于山川肆覲東后協時月正

日同律度量衡修禮歸格于藝祖用特五載壹巡狩羣后四朝敷奏以言刑之恤哉流共工于幽州放驩兜于崇山竄三苗于三危目達四聰洛十有二牧曰

食哉惟時柔遠能邇惇德允元首讓于稷契暨皋陶帝曰俞汝往哉帝曰弃黎民阻飢汝有宅五宅三居惟明克允帝曰疇若予工僉曰垂哉帝曰讓于朱虎

熊羆帝曰俞往哉汝諧帝曰咨四岳有能典朕栗剛而無虐簡而無傲詩言志歌永言聲依永律和聲八汝廿有二人欽哉惟時亮天功三載考績三考黜陟

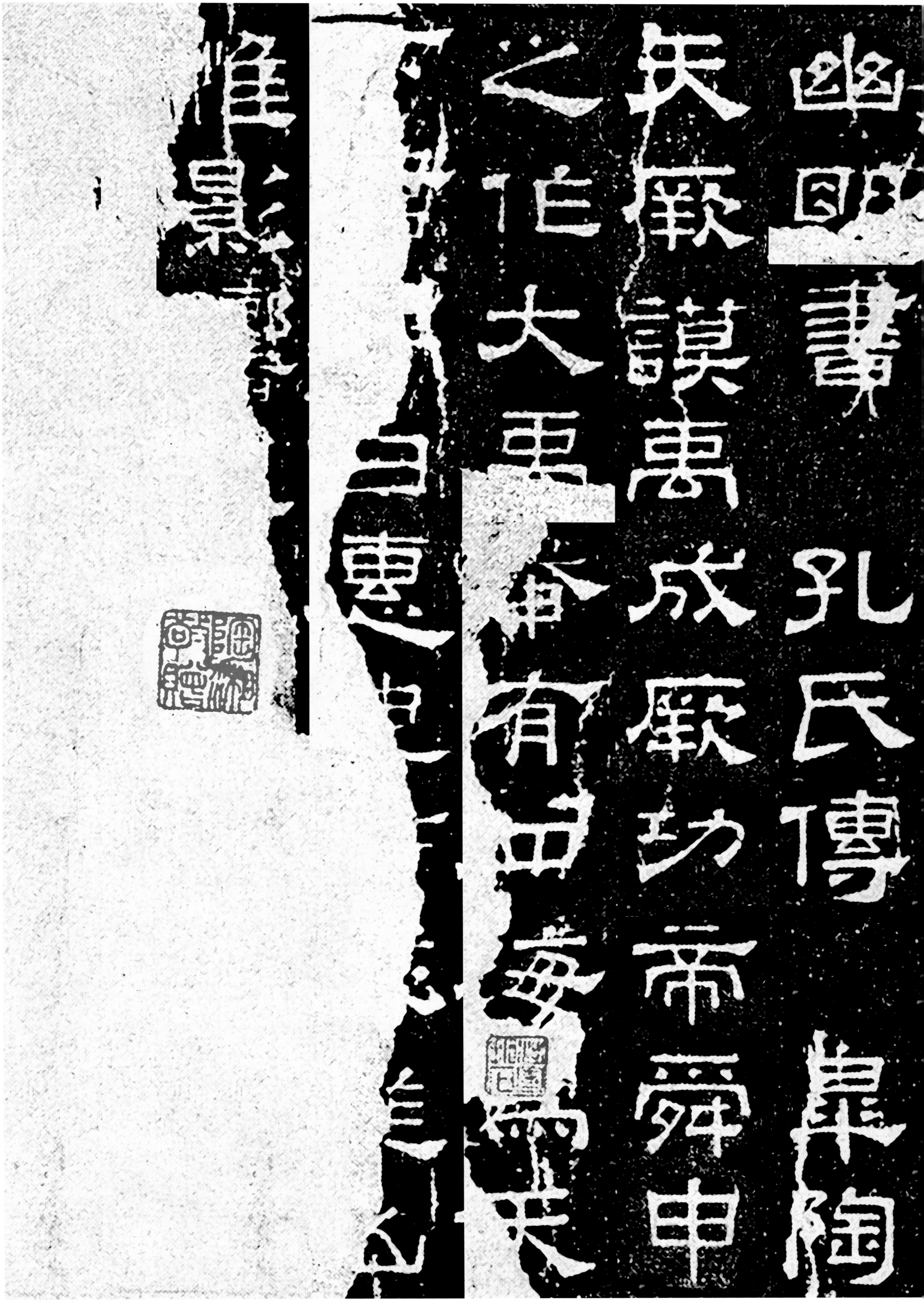

幽明書孔氏傳皋陶矢厥謨禹成厥功帝舜申之作大禹奄有四海爲天下君□曰惠迪□□逆凶惟影響

易經殘石（正面）

曰乾元亨利貞初九謂也子曰龍德而正中業忠信所以進德也脩辭立其曰上下无常非爲邪也進退作而□物睹本乎天者親上本乎終曰乾乾行事也

或躍在淵自試也飛乃革
飛龍在天乃位乎天德亢
龍有悔與時揮旁通情也
時乘六龍以御天也雲行
雨施天曰見龍在田利見
大人君德也九三重剛而

或躍在淵自試也飛乃革飛龍在天乃位乎天德亢龍有悔與時揮旁通情也時乘六龍以御天也雲行雨施天曰見龍在田利見大人君德也九三重剛而

不中夫大人者與天地合
其德與日月合其明與四
時合其知得而不知喪其
唯聖人乎知進退存亡而
不失其正不善之家必有
餘殃臣試其君子試其父

不中夫大人者與天地合其德與日月合其明與四時合其知得而不知喪其唯聖人乎知進退存亡而不失其正不善之家必有餘殃臣試其君子試其父

非一朝一夕之故不孤直方大不習无不利則不疑其所行也陰雖有美含之謹也君子黄中通理正位居體美在中而暢於四支𤼵於事業美柔而生肴和

順於道德而理於羲窮理
盡性以至於命昔者聖人
之作易也而成卦分陰
陽迭用柔剛故易六畫而
成章也·天地定位山澤
通氣雷風相以止之兑以

順於道德而理於羲窮理盡性以至於命昔者聖人之作易也而成卦分陰分陽迭用柔剛故易六畫而成章也天地定位山澤通氣雷風相以止之兑以

說之乾以君之巛以臧之帝出乎震齊乎巽相見乎離致役乎巛說者明也萬物皆相見南方之卦也聖人南面而聽天下鄉明治蓋取諸此也也飲者水

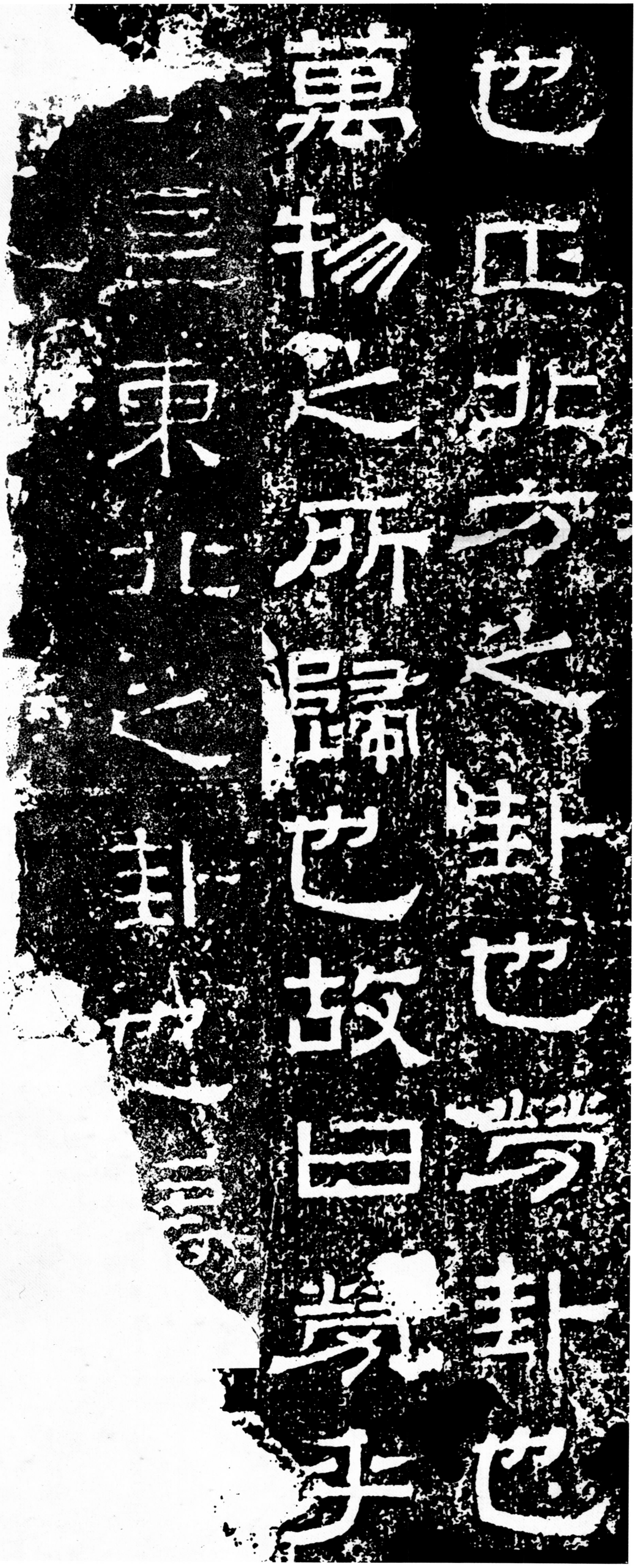

也正北方之卦也勞卦也萬物之所歸也故曰勞乎坎艮東北之卦也□

易經殘石（背面）

悔厲吉婦子嘻嘻終吝六四富家大吉九五王假有家勿恤吉上九有孚威如終吉䷥睽小初有終九四睽孤遇元夫交孚厲无咎六五悔亡厥宗噬膚往何

咎上九睽孤見豕負塗□轝六二王臣蹇蹇匪躬之故九三往蹇來反六四往蹇來連九五大蹇崩來上六往蹇負且乘致寇至貞吝九四解而拇朋至斯孚

六五君子維有解吉有孚于小人上六咎酌損之九二利貞征凶弗損益之六三三人行則損一人一人行則得其友益利用攸往利涉大川初九利用爲大

作元吉无咎六二或益之十朋之龜惠心勿問元吉有孚惠我德上九莫益之或擊之立心勿恒凶䷪夬揚于子夬夬獨行遇雨若濡有慍无咎九四臀无膚

其行次且牽羊悔亡聞包有魚无咎不利賓九三臀无膚其行次且厲无大咎九四包无乃亂乃萃若號一握爲笑勿恤往无咎六二引吉无咎孚乃見大人

勿恤南征吉初六允升大
吉九二孚乃利瀹无咎九
于幽谷三歲不覿九二困
于酒食朱紱方來利用亨
祀于葛藟于臲卼曰動悔
有悔征吉䷯井改邑不改

勿恤南征吉初六允升大吉九二孚乃利瀹无咎九于幽谷三歲不覿九二困于酒食朱紱方來利用亨祀于葛藟于臲卼曰動悔有悔征吉䷯井改邑不改

井无其福 六四井甃无咎 九五井洌寒泉食 上六井收勿 九五大人虎辩未占有孚 上六君子豹辩小人悔終吉 九四鼎折足覆公餗 其刑剭 凶 六五九陵勿

逐七日得六三震蘇蘇震行无省九六艮其止无咎利永貞六二艮其腓不拼咎六二塢漸于般飲食衍衍吉九三塢凶无攸利初九歸昧以娣披能履征羊

无血无攸利䷶豐亨王假之夷主吉六五來章有慶譽于處得其齊斧我顛巽吝六有悳九无咎上九大

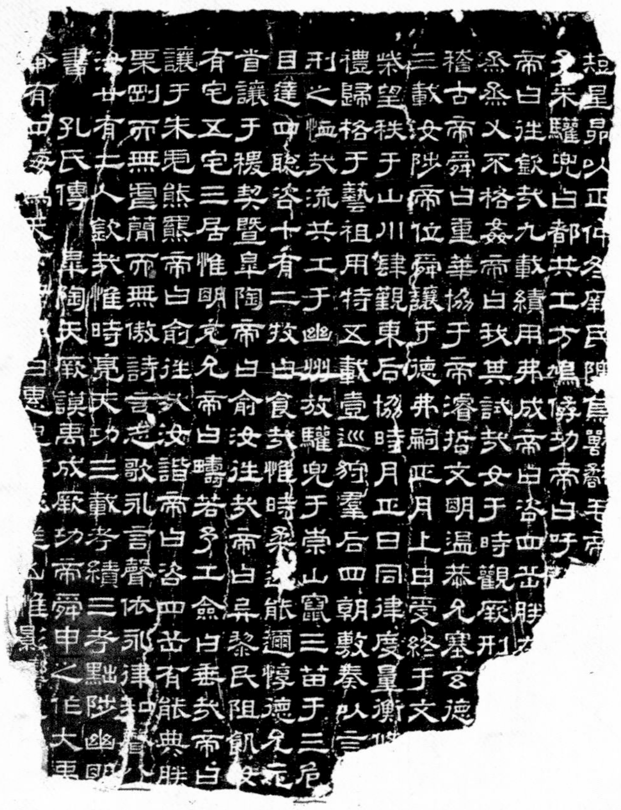

尚書殘石（正面）

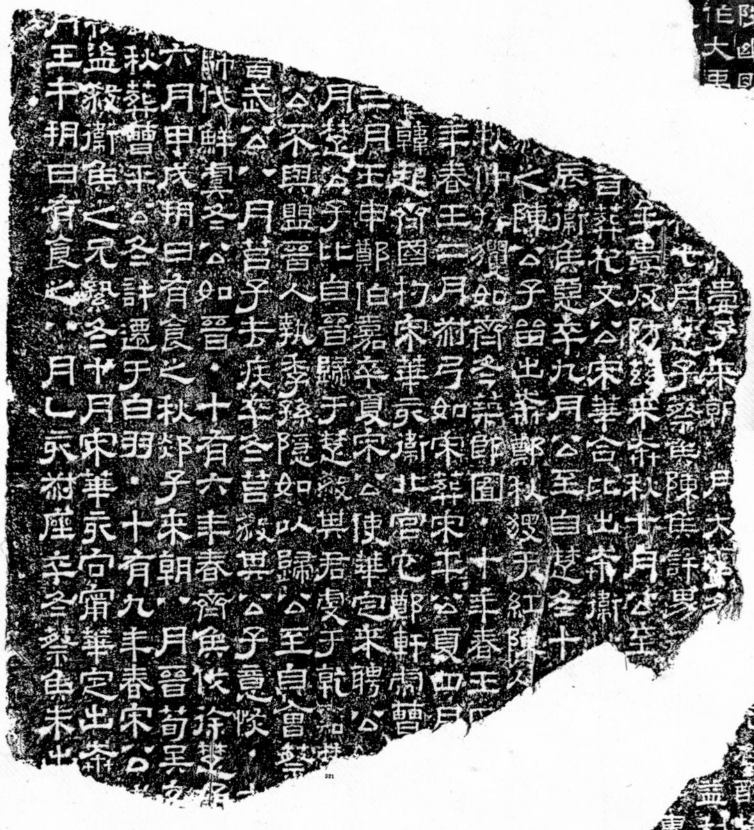

春秋經殘石（背面）

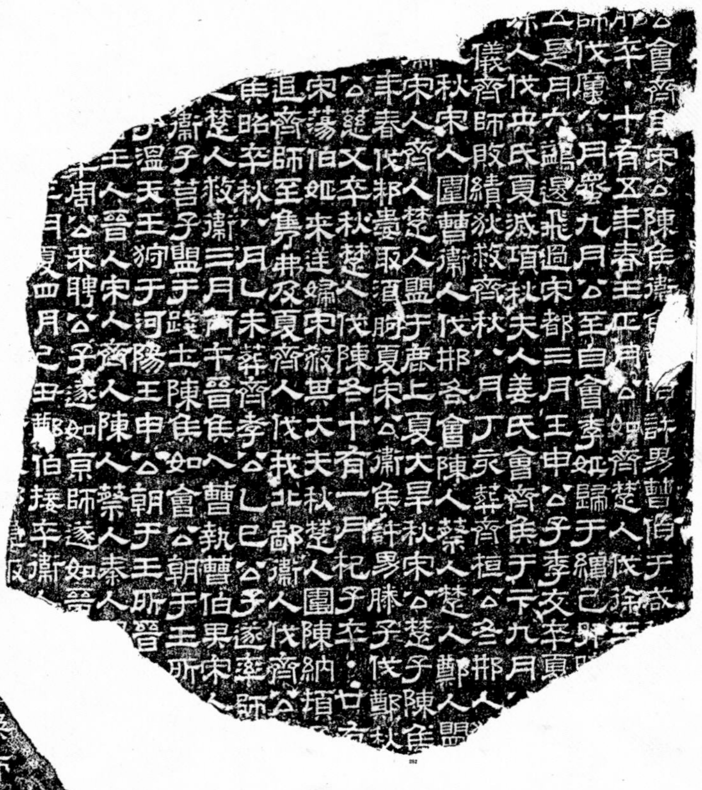

春秋經殘石（正面）

易經殘石（背面）

易經殘石（正面）